当代美术名家名作

罗健作品集

PAINTING WORKS OF LUO JIAN

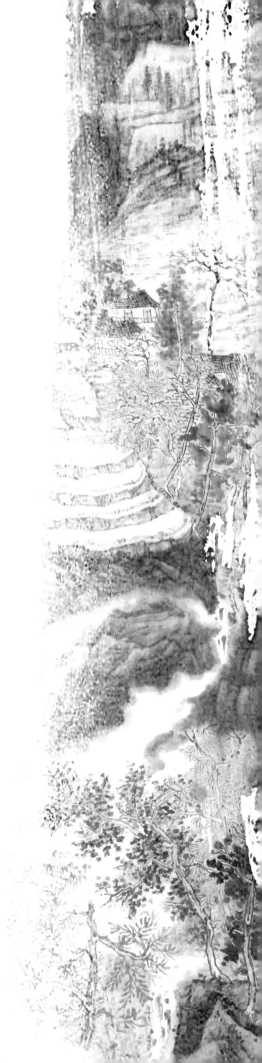

山东美术出版社

图书在版编目（CIP）数据

当代美术名家名作．罗健作品集／罗健著．--
济南：山东美术出版社，2010.10
ISBN 978-7-5330-3266-1

Ⅰ．①当… Ⅱ．①罗… Ⅲ．①中国画－作品集－中国
－现代 Ⅳ．① J222.7

中国版本图书馆 CIP 数据核字（2010）第 191020 号

主　　编：文　心
策　　划：山东东方美术研究所
责任编辑：信　奇
装帧设计：无形艺术设计工作室

出版发行：山东美术出版社
　　　　　济南市胜利大街 39 号（邮编：250001）
　　　　　http://www.sdmspub.com
　　　　　E-mail：sdmscbs@163.com
　　　　　电话：（0531）82098268　　传真：（0531）82066185
　　　　　山东美术出版社发行部
　　　　　济南市胜利大街 39 号（邮编：250001）
　　　　　电话：（0531）86193019　　86193028
制版印刷：济南丰利彩印有限公司
开　　本：889×1194 毫米　16 开　总印张 20
版　　次：2010 年 10 月第 1 版　2010 年 10 月第 1 次印刷
印　　数：1-2000
总 定 价：160.00 元（全 10 册）

罗健，原名罗朝建，中国农工民主党党员，1969年生于福建省福鼎市，1992年毕业于福建师范大学，获2010届中国艺术研究院中国画艺术硕士学位。

书、画、印、刻字作品多次入选中国美术家协会等单位主办的主流展赛并获奖。作品发表于《中国书法》、《美术大观》、《书与画》、《美术报》、《中国书画报》、《中国篆刻》等专业报刊杂志上，并被海内外多家博物馆和藏家收藏。

现为福建省美术家协会会员、书法家协会会员，宁德市美术家协会常务理事，福鼎市美术家协会主席，北京市工笔重彩画学会会员，江苏省国画院、闽东书画院、福建太姥画院特聘画师，福鼎市政协委员，市管专业技术人才。

笔墨见才情

——读罗健的水墨画近作

我与罗健兄是大学同窗，交谊20余年。大学毕业后，他分配在闽东福鼎县城的一所中学，我留在师大任教。罗健一直保持着极高的学习热忱，每隔一段时间就要带上他的近作回到母校，请教恩师杨启舆、翁振新、林容生等先生，顺便在我这住下来，畅谈、豪饮至深夜。罗健的作品风格就像他的为人一样，质朴、率真、潇洒又不乏才情，酣畅淋漓的笔墨间传达出一股豪迈之气，正大疏朗、神韵俱足。

罗健是一个比较全面的画家，大学期间书法、篆刻就在各级赛事中获奖，20多年来坚持山水、人物画的写生与创作。2007年开始，他先后考进中国艺术研究院中国画高研班及该院的艺术硕士，师从张鸿飞、苗再新、陈钰铭、赵建成、杜滋龄、姜宝林等先生，学业渐长，艺术上又有了新的突破。如今学成归闽，带回他近年来的新作，将于近日举办个展，以示师长和同仁。这些作品为我们带来了许多新的气象，其中最为突出的一点是他比以往更加重视对生活的体察与表现，毋庸置疑，罗健是勤于走进生活，善于扑捉生活情趣的艺术家。我们看到这批绘画作品主要涉及有人物和山水两大类，无论是生活偶得的意外惊喜，还是梦回萦绕的家乡山水，无论是海边的渔民，还是深山里的少数民族人物形象，都充满着浓浓的生活气息。比如，他走进大山的深处，把他对家乡山水的热爱转换为或青绿或水墨状态，用自己的感悟传达出比现实更真实的理想世界，呈现在观者面前。这恰好印证了夏加尔所言："内心世界的真实远远要比客观世界的真实更真实"，这是很多画者奢图却很难到达的一个高度。

另外，就技法而言，罗健的写意画近作体现了他对传统水墨技巧的驾驭与创新，尤其重视笔墨间的"线性"表达，以书入画。这得益于一方面他在书法篆刻等线条艺术方面的造诣，另一方面是作者长期以来在水墨艺术实践中的积极探索与实验。他认为，笔墨语言的最终目的是为了传达造型灵动性和画面诗意性，而笔法尤为重。他试图在偶然性与必然性之间，在清晰性与模糊性之间，在传统语言与审美的现代性之间寻求一种属于自己的线性表达方式。技艺的多样化尝试与探索，我想也一定能让罗健在以后的艺术道路上越走越远，越走越自由！

罗礼平　2010年8月19日于福州
(作者罗礼平系福建师大美术学院副教授、硕士研究生导师)

集 市　138cm×69cm

阳光地带　180cm×97cm

女人海　194cm×180cm

本是良家女　138cm×69cm

哥 俩　68cm × 82cm

夜 归　69cm×69cm

芭蕉熟了　69cm×69cm

带月荷锄归　69cm×69cm

老海　138cm×69cm

徽州印象之一　　55cm×43cm

徽州印象之二　　55cm×43cm

红土地　20cm×20cm

寓言　20cm×20cm

静观图 72cm×82cm

我家山水我家画　240cm×125cm

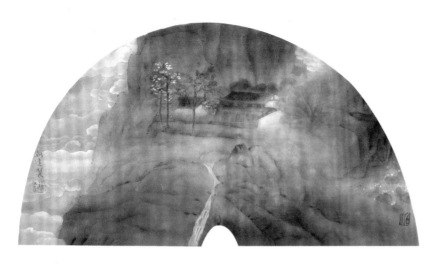

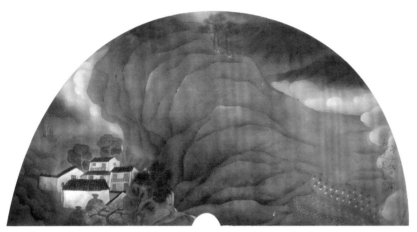

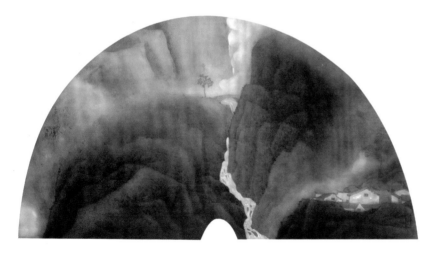

四季风　33cm×66cm×4

21

云山初醒　69cm×69cm

山之魂　69cm×69cm

山乡过雨　69cm×69cm

山水清音　69cm×69cm

溪山清远　46cm×28cm

都市之窗　46cm×28cm

云南写生之一　　55cm×43cm

云南写生之二　　55cm×43cm

写生中的"线感"

——线性和"象"的相互制约 　　罗 健

　　应该说，和西方绘画以面为造型手段的观念相比较，中国传统绘画艺术从它产生开始（以我们现在能见到的最早的图像资料为准），线就已经成为最基本的造型手段，这也成就了中国绘画艺术和其它画种无论在思维方式、观察方式、还是表现方式都存在差异，它更是中国绘画艺术在其特有的以线性语言作为表达的意象造型观念中，所包容的绘画艺术的抒情性、写意性及高度的精神内涵的价值指向。"画者，画也。即以线为界，而成其画也。笔为骨，墨与彩色为血脉，气息神情为灵魂，风韵格趣为意态，能具此活矣。"（潘天寿语）作为中国绘画艺术历史最悠久的一门画科，中国传统写实人物画所体现的这种关系，即人物画在表现对象时，不同于一般的如西方式的写实和形似，它是一种古人称之为写真、写心的观照方式。庄子说："真者，精诚之至，不精不诚，不能动人。""真在内者，神动于外，是所以贵真也。"这种观照自然的方式是中国哲学和美学的观念所致的，既注重人的主观情感的取向，又要面对自然物象，不是被动地摹拟物象的表面，是直取表面之下个性之真。以一种"迁想妙得"的体察、审度方式，大胆取舍，直指人之精、气、神。荆浩《笔法记》中谈到"似者得形遗其气，真者气质俱盛。"它是主观意识极强的意象概念，这种写生方法是进步的，是一种极为独特的观照自然方式。想象空间广阔，概括能力突出，是体现中国传统人物画在思维、观察、表现方式高度成就所在。但是事物发展总有它的另一端，当中国传统写实人物画进入到明、清时，整体看人物画渐微了，原因是表现时写实手法的衰退，以及一种保守的程式化语言。张连在《形式美新论》中称"程式化，即是已获得成功的艺术表现方法和程序，固定成为一种形式，程式化即形式化。"从这读出程式化是一种较为成熟的艺术形式。但当中国传统人物画发展到画家纯粹地观注笔墨表达的韵味、而忽略了形象的实在时，程式化就走向概念化，它导致的结果只能是人物画家对形象的感受力越来越低下，丧失了人物画表现和追求所应掌握的造型能力和无限的想象创造力。这是元、明、清人物总体状况让人诟病的原因所在。可见当人物画忽视、乃至丢弃了一个生动"人"的形象意识时，人物画创作也就逐渐走进陈陈相因的摹古保守和追随时人，不思创造的死胡同里。所以二十世纪初徐悲鸿倡导以西方科学主义观念，即以西方绘画素描造型的训练方法来改良传统写实人物画的种种弊端时，是很有远见的指导原则，但我们更应把这种意识指向呼唤人物画写实观念的回归，这对人物画重新得以发展和繁荣，是功不可没。它使人物画家们世界观产生了极大的方向转换，使人物画走到能动地观照世界、感受对象这一正确的发展路子上来，重新审视现代人物画的发展要抓住人物造型这一根本问题，拓展人物画造型手段线性语言的表现空间，在新的理念指导下，对笔墨观和形式语言努力进行再创造，这种意识转换是革命性的。

　　20世纪90年代始，对水墨写实人物画的概念是保持较为宽容态度，它不仅只是包括写实表现手法的作品，还有写意表现手法的作品，既有规整方正的形态，也可以是夸张的，是画家们个性情感和他们所处时代的各个时期生活和意识的吻合。它可以具备不同地域民族和文化品类之间的差异，但价值指向是关注生活形态真实的这一前提根本。我们之前分析了二十世纪中国人物画多学派中坚人物的人物画作品，诸如用笔特点、笔性和形象、自然对象和艺术形象之间的种种关系。而其中关键之处，是理解笔墨和"象"之间如何更好完美融合的问题。对"象"的重视，在中国传统哲学、美学思想中，很早就提出一个概念。如《庄子》说："筌者所以在鱼，得鱼而忘筌；蹄

云南写生之三　　55cm×43cm

云南写生之四　　55cm×43cm

者所以在兔，得兔而忘蹄；言者所以在意，得意而忘言。"而在王弼《周易图例　明象》中也谈到："意象者乃得意也"、"得意在忘象"、"存象者非得意也"这些观念对中国人物画造型特点的探究产生深刻的影响。

冯远在二十世纪90年代提出"重归不似之似"的造型观点，他认为"就绘画的造型规律来说，意象既不是纯客观的物体之象，也不是凭空臆造之象；即不是客体的衍生物，也不是主体的附庸，艺术家表现物象时既不以杜撰任意性的抽象物为作画宗旨，也不仅仅以写极目标所知的具象物为能事，而是倾心于不似之似……与具象和抽象之间都保持着一段神圣的距离。"刘国辉也提出"中国人物画（水墨人物画追求的是一种'深意'的造型，通常称为'意象'的造型，或称'以形写神'或称'不似之似'，崇尚默写（也写生），至今尚没有民族自己完整的造型学科。所谓'意象'的造型方法就是……成就了笔墨，强化了造型。"写生时面对形象，笔线应该如何去表现对象呢？这是牵涉到自然形象和艺术形象二者关系问题。对艺术而言，想象力的丰富与贫乏是成就一位艺术家成功与否的关键。但想象力首先要建立在对形象的深刻感知之上，表层、浅显地感受对象是难以进入一种得意之层面的，我们可以称之为"象内意浅"；其次，在对自然形象描绘，并上升到创造着艺术形象的同时，这其间要以作者经过"物—感—知—思 —— 化"的感知和归纳过程及创造"意象"的技术保证。这期间的转换首要明理，明了客观艺术规律，理法无知，谈何真实情感的注入。但二者之间也时见矛盾之处，知道理法，却不能全身心投入，是为客观物象的"形"所限，缺了一个"忘"字；而技术上的保证是作者塑造成功作品的前提，高层次的技术是"形象、理法和情趣"的高度结合。徐复观在《中国艺术精神》一书中谈到："作者在创作上的精神满足，只有在破除了技巧的局限性以后才能得到，这当然应当通过技巧的十分驯熟的修养，而不可稍存讨便宜的心理。但由对象而来的局限性能减少一分，作者创作的精神自由即能多获得一分。"

所以作为中国水墨人物画写生和创作的造型手段——线性语言，它的表现追求在这种理念指导下拓展的空间是广阔的，呈开放性的。"笔墨当随时代"不是一句空话，作为人物画家而言，他的感受应比山水、花鸟画家更深刻，也更敏感。抓住形象特征深入塑造为根本，又能"物我相应"真正进入人物画写生创作的那种挥洒自如，物不碍我，笔能尽性之境，才是线性和"象"之间的完美融合。我们在蒋兆和、黄胄、方增先、周昌谷、周思聪、李世南、杜滋龄、吴山明等作品中都能强烈地感受到这一点。周思聪《矿工图》之一《王道乐土》无论人物组合，笔墨和造型都达到了完美结合，可见周思聪是深刻领会写其形，要传其神；传其神，必写其心的创作要领，作者以迟涩和凝重的细线在对人物形象概括化的基础上进行适度的变形，再加以块面性形式组合，画面的笔墨是苦涩的，气氛是压抑的，但形式语言又是全新的，富有创造性的。

写生、取象、传神、得意，是人物画写生和创作的综合过程，是中国水墨人物画蕴籍着文化价值的创造过程。当代人物画写生和创作无论观念多么多元，表现手法多样，但作为传达意象的造型手段"线性"语言是永远绕不过去的。形象是客观存在的，而线在形象中是不存在的，它是艺术家对物象的一种虚拟性和提示性的提练和概括的造型语言，是一种意识的行为。艺术家在面对对象时，根据对象精、气、神特征以及自我的秉性提练出如迟涩、迅捷、流利、凝重等的线性特质，以每个局部似乎单一的线来组织成一个充满风神骨气和精力弥满的线性空间。这种线性空间的境界既是对写生者对线性组合能力的体验，更是写生者对"象"意识综合转换感受和把握能力高低的体现。既要造型的严谨和精确，又要笔墨表现的丰富和灵动，人物画的魅力也在于此，这种完美境界追求和开拓也是当代人物画家的一种历史使命。

（本文为作者艺术硕士学位论文《线性表达—— 水墨人物画写生的情境指向》节选）

云南写生之五　　55cm×43cm

云南写生之六　　55cm×43cm